Pour Clémentine, Flore et Victor. ÉDL
Pour mes deux nenettes. JP

Octave
ne veut pas grandir

Texte de Élisabeth de Lambilly
Illustrations de Jérôme Peyrat

AUZOU

Il était une fois, loin, loin, très loin d'ici, dans un joli pays appelé Australie, un petit kangourou prénommé Octave.

Le jour où il est né (il était alors vraiment tout petit), Octave,
ébloui par la lumière, apeuré par tous les bruits, alla se blottir
dans la poche de sa maman kangourou.
Et depuis, depuis... il n'en est jamais ressorti...

Car dans la poche de maman kangourou,
ça sent **bon**, c'est **chaud**, c'est **doux**,
Octave est à l'abri de tout.

Le temps **passe**...

Octave **grandit**...

grossit...

prospère...

et Maman kangourou se désespère.
Assurément sa place n'est plus ici.

— Octave, mon petit, tu es lourd, tu sais !
Et il y tant de choses à apprendre quand on grandit !

Papa prend sa grosse voix et dit d'un air fâché :
— Octave, ça suffit ! Tu es grand maintenant !
Là où tu es, c'est la place des bébés.

Mais Octave ne montre pas même la pointe de son oreille !

Car dans la poche de maman kangourou, ça sent **bon**, c'est **chaud**, c'est **doux**, Octave est à l'abri de tout.

L'autruche passant par là ne peut
s'empêcher de mettre son grain de sel.
— Allons, allons, voyons, il va bien
finir par sortir ce polisson !

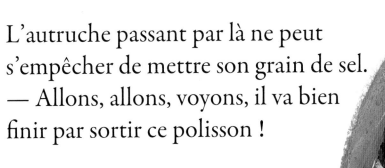

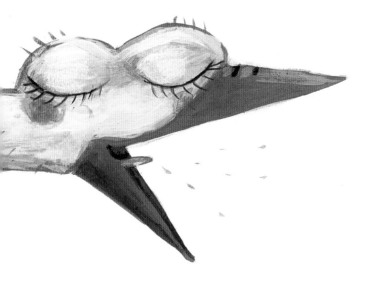

J'ai mon idée sur la question.
Octave, si tu montres ta frimousse,
tu auras de la crème au pamplemousse !

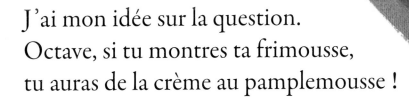

Humm, se dit Octave, de la crème...
Mais il ne bouge même pas l'un de ses orteils.

Car dans la poche de maman kangourou,

ça sent **bon**, c'est **chaud**, c'est **doux**,
Octave est à l'abri de tout.

Le singe se penche vers maman kangourou...

et lui dit à l'oreille :
— Moi qui suis très malin, je sais bien
comment faire bouger ce coquin.
Vous n'avez qu'à sauter, bondir et sauter
encore. Quand Octave en aura assez
d'être remué, il montrera le bout
de son nez.

Maman kangourou s'exécute
de bon cœur et, tel un ressort,
bondit avec bonheur.
À l'intérieur, ça secoue,
ça secoue et tout est sens
dessus-dessous !

Mais Octave ne se met pas debout...

même avec des remous, dans la poche de maman kangourou,
ça sent **bon**, c'est **chaud**, c'est **doux**, Octave est à l'abri de tout.

Partout sur tous les troncs d'eucalyptus,
Papa kangourou colle des affiches.
Il propose une grosse récompense à celui
qui réussira à faire sortir son petit gars.
Et tous viennent tenter leur chance, le dingo,
l'ornithorynque et même l'affreux boa.

C'est alors qu'arrive lentement le très vieux porc-épic
au dos couvert de piquants.
Il se plante devant maman kangourou,
ajuste ses lunettes et appelle en chevrotant :

Octave →

— Octave, Octave, tu m'entends, mon enfant ?
— Oui, oui, répond le petit polisson.

Le sage animal s'approche un peu
plus et chuchote :
— Te rappelles-tu que demain,
c'est ton anniversaire ?
— Ben, oui, réplique Octave,
un peu moins fanfaron.

Le porc-épic reste un moment silencieux puis il souffle à nouveau :
— Alors, as-tu bien réfléchi : penses-tu que dans la poche de
maman kangourou, il y ait assez de place pour deux bougies
et un énorme gâteau ? Pour des amis et encore plus de cadeaux ?

Cette fois ce n'est plus un jeu, Octave comprend que c'est du sérieux. Pourtant, c'est dur de choisir entre son doux repaire et une splendide fête d'anniversaire...

Même si pour des amis, des cadeaux et un goûter, cela vaut peut-être le coup de montrer le bout de son nez.

Alors, un peu engourdi, un peu maladroit,
Octave fait un bond, puis deux, puis trois...

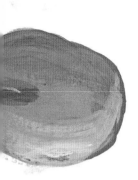

Tout content d'être grand, très fier de ce qu'il vient
de faire et sûr qu'il pourrait quand il le voudrait,
pour un câlin, pour un bisou, revenir un peu dans
la poche de maman Kangourou, là où il fait **chaud**,
là où il fait **doux**, là où l'on est à l'abri de tout…

Direction générale : Gauthier Auzou
Édition : Florence Pierron
Maquette : Studio Auzou
Fabrication : Brigitte Trichet
Relecture : Gwenaëlle Hamon, Fanny Letournel

© 2009 Éditions Philippe Auzou
Tous droits de traduction, de reproduction et d'adaptation strictement réservés
pour tous pays.
Loi n° 49-956 du 16 juillet 1949 sur les publications destinées à la jeunesse.
Dépôt légal : 2ᵉ trimestre 2009
ISBN : 978-2-7338-1070-5
Photograveur : Turquoise
Imprimé par Ajanta Offset and Packagings Limited, en Inde.

www.auzou.com

Dans la même collection

Armelle Renoult - Mélanie Grandgirard

Moustache
ne se laisse pas faire

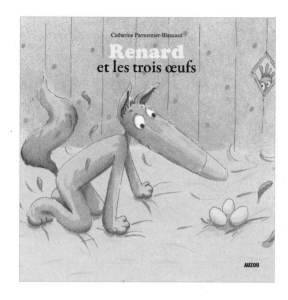

Catherine Parmentier-Blancard

Renard
et les trois œufs

Roucoule
est amoureuse

Karine Laurent-Stéphanie Alastra